Clifford
La chasse aux œufs

Adaptation de Suzanne Weyn

Illustrations de Jim Durk

Texte français de Christiane Duchesne

D'après les livres de la série « Clifford, le gros chien rouge » de Norman Bridwell.

Les éditions Scholastic

ISBN 0-439-97550-6
Titre original : The Big Egg Hunt

Édition publiée par Les éditions Scholastic, 175 Hillmount Road, Markham (Ontario) L6C 1Z7.

5 4 3 2 1 Imprimé au Canada 03 04 05 06

C'est aujourd'hui la grande chasse aux œufs. Les enfants et leurs chiens sont prêts.

— N'oubliez pas la consigne, dit l'inspecteur Lewis. Les chiens trouvent les œufs, et les enfants les ramassent.

— Allez-y! dit l'inspecteur Lewis.

Charlie part avec Nonosse, Juan avec Cléo.

Mimi part avec Max,

Émilie avec Clifford.

Les chiens reniflent partout.

Clifford est le premier à trouver des œufs.

Ils sont cachés au sommet d'un arbre.

— Ouaf! aboie-t-il.

Émilie éclate de rire.

— Nous ne pouvons pas les prendre.

Ce sont les œufs de madame Loiselle.

Nonosse trouve

un œuf sous un banc.

Mais Cléo aboie avant que

Nonosse ouvre la bouche.

C’est Juan qui ramasse l’œuf.

Puis Nonosse voit un œuf

sur la glissoire.

Mais Clifford aboie avant que

Nonosse ouvre la bouche.

C'est Émilie qui ramasse l'œuf.

Nonosse aperçoit un œuf

derrière une grosse pierre.

Mais Max aboie avant que

Nonosse ouvre la bouche.

C'est Mimi qui ramasse l'œuf.

Bientôt, tout le monde a des œufs
dans son panier, sauf Nonosse
et Charlie.

— Je n'ai pas de chance, dit Nonosse à Clifford.

— Je peux te donner quelques œufs, dit Clifford.

— Non, merci, dit Nonosse, je veux trouver mes œufs moi-même.

Clifford a une idée.

— Cachons quelques œufs là

où Nonosse pourra les trouver,

dit-il à Cléo et Max.

L'idée ne plaît pas à Max.

Il trouve que ce n'est pas juste.

— Mais ça ferait tellement plaisir à Nonosse! dit Cléo. Et à Charlie aussi.

— Bon, d'accord, dit Max.

— Est-ce que les enfants vont nous aider? demande Cléo.

— Oui, dit Clifford. Regarde bien.

Clifford s'avance vers Émilie.

Il renverse délicatement le panier,

et un des œufs en tombe.

Clifford le fait rouler

dans l’herbe haute.

Nonosse le trouve aussitôt!

— Ouaf! fait-il.

Et Charlie ramasse l'œuf.

Cléo va rejoindre Juan.

Elle renverse délicatement le panier,

et un des œufs en tombe.

Cléo le fait rouler jusqu'au pied d'un arbre.

Nonosse le trouve aussi!

— Ouaf! fait Nonosse.

Et Charlie ramasse l'œuf.

Max renverse délicatement

le panier de Mimi.

Il fait rouler l’œuf sous

les feuilles d’une vigne.

— Ouaf! fait Nonosse.

Et Charlie ramasse l'œuf.

Bientôt, Nonosse et Charlie ont autant d'œufs que leurs amis.

— Tu as plein d'œufs, maintenant! dit Clifford à Nonosse. Tu as de la chance, après tout.

— J'ai de la chance, répond Nonosse, mais pas parce que j'ai trouvé des œufs.

J'ai de la chance parce que j'ai
de bons amis qui veulent m'aider.
Je sais que vous avez mis les œufs là
où je pourrais les trouver. Merci!

Tout le monde mange

des œufs, et tout le

monde est heureux!

Tu te souviens?

Encercle la bonne réponse.

1. Quel chien est le premier à trouver des œufs?
   a) Nonosse
   b) Cléo
   c) Clifford

2. Nonosse a de la chance, car…
   a) il a trouvé beaucoup d'œufs.
   b) il a de bons amis.
   c) il a mangé plusieurs œufs.

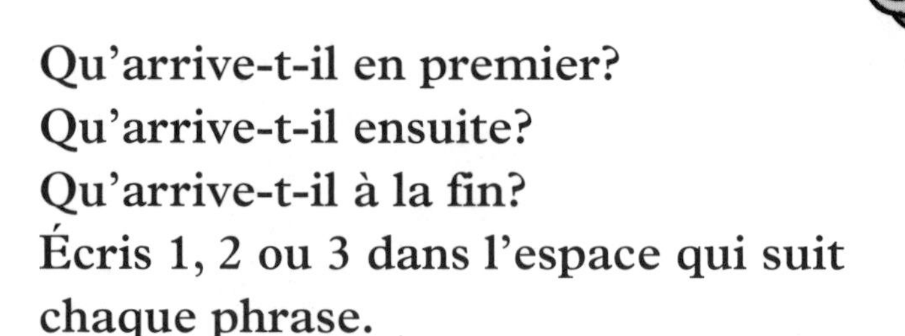

Qu'arrive-t-il en premier?
Qu'arrive-t-il ensuite?
Qu'arrive-t-il à la fin?
Écris 1, 2 ou 3 dans l'espace qui suit chaque phrase.

Nonosse voit un œuf derrière une grosse pierre. ________

Cléo renverse délicatement le panier de Juan. ________

Clifford trouve des œufs dans un nid d'oiseau. ________

Réponses :

1. c
2. b

Nonosse voit un œuf derrière une grosse pierre. (2)
Cléo renverse délicatement le panier de Juan. (3)
Clifford trouve des œufs dans un nid d'oiseau. (1)